KV-056-426

# おおきなかぶ

A.トルストイ再話　内田莉莎子訳　佐藤忠良画

福音館書店

　おじいさんが　かぶを　うえました。
「あまい　あまい　かぶになれ。
おおきな　おおきな　かぶになれ」

あまい　げんきのよい
とてつもなく　おおきい
かぶが　できました。

おじいさんは
かぶを　ぬこうと　しました。
うんとこしょ　どっこいしょ
ところが　かぶは　ぬけません。

おじいさんは　おばあさんを　よんできました。

おばあさんが　おじいさんを　ひっぱって、

おじいさんが　かぶを　ひっぱって——

うんとこしょ　どっこいしょ

それでも　かぶは　ぬけません。

おばあさんは　まごを　よんできました。

まごが　おばあさんを　ひっぱって、
おばあさんが　おじいさんを　ひっぱって、
おじいさんが　かぶを　ひっぱって――
うんとこしょ　どっこいしょ
まだ　まだ　かぶは　ぬけません。

まごは　いぬを　よんできました。

　いぬが　まごを　ひっぱって、
まごが　おばあさんを　ひっぱって、
おばあさんが　おじいさんを　ひっぱって、
おじいさんが　かぶを　ひっぱって――
　うんとこしょ　どっこいしょ
　まだ　まだ　まだ　まだ　ぬけません。

いぬは　ねこを　よんできました。

　ねこが　いぬを　ひっぱって、いぬが　まごを　ひっぱって、
まごが　おばあさんを　ひっぱって、おばあさんが
おじいさんを　ひっぱって、おじいさんが
かぶを　ひっぱって――
　うんとこしょ　どっこいしょ
　それでも　かぶは　ぬけません。

ねこは　ねずみを　よんできました。

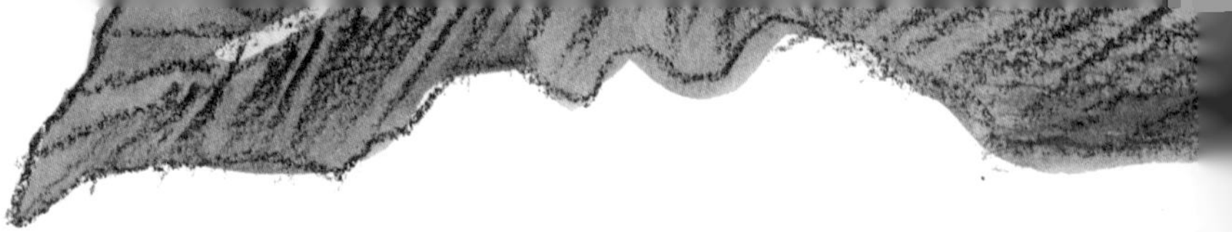

　ねずみが　ねこを　ひっぱって、ねこが
いぬを　ひっぱって、いぬが　まごを　ひっぱって、
まごが　おばあさんを　ひっぱって、おばあさんが
おじいさんを　ひっぱって、おじいさんが
かぶを　ひっぱって——
　うんとこしょ
　どっこいしょ

やっと、
かぶは　ぬけました。

［作者紹介］

**A.トルストイ**（アレクセイ・N・トルストイ）1883〜1945
ロシアの作家。代表作は、『苦悩の中を行く』、歴史小説『ピョートル１世』など。

**内田莉莎子**（うちだ りさこ）1928〜1997
東京に生まれた。早稲田大学露文科卒業。1964年、ポーランドに留学。帰国後、ロシア・東欧を中心に海外の児童文学を日本に紹介した。主な作品に絵本『きつねとねずみ』『ゆきむすめ』『マーシャとくま』『しずかなおはなし』『てぶくろ』『パンのかけらとちいさなあくま』『くったのんだわらった』『もぐらとずぼん』『しずくのぼうけん』『わらのうし』、童話『きつねものがたり』『ロシアの昔話』（以上福音館書店）など多数ある。

**佐藤忠良**（さとう ちゅうりょう）
1912年、宮城県に生まれる。東京美術学校彫刻科を卒業。新制作協会創立当初より会員として活躍。1954年、第一回現代日本美術展賞を受賞。1960年、日本人の顔の連作に対して高村光太郎賞を受けた。1981年、パリのロダン美術館で、日本人として初めての個展。絵本には『ゆきむすめ』『木』（以上福音館書店）、『わらしべちょうじゃ』（ポプラ社）などがある。東京在住。



**おおきなかぶ**　（ロシアの昔話）　**A.トルストイ　再話　内田莉莎子　訳　佐藤忠良　画**

1962年5月1日　月刊「こどものとも」発行　／　1966年6月20日　「こどものとも傑作集」　第１刷　／　2008年2月25日　第134刷
発行所　株式会社 **福音館書店**　113-8686 東京都文京区本駒込 6-6-3
電話：販売部 03（3942）1226　　編集部 03（3942）2082　　http://www.fukuinkan.co.jp/
印刷：精興社　　製本：清美堂　　NDC 983　　28p　　20×27cm　　ISBN978-4-8340-0062-7
●第130刷より新規製版して、シリーズ名を「こどものとも傑作集」から「こどものとも絵本」に変更しました。（新規製版協力：宮城県美術館）
●乱丁・落丁本は、小社制作課宛ご送付ください。送料小社負担にてお取り替えいたします。
●紙のはしや本のかどで手や指などを傷つけることがありますのでご注意ください。